「話す・聞く・書く」でアクティブラーニング！

自《じ》分《ぶん》のことばで、
じこしょうかい

1・2年生

監修　水戸部修治　　絵　柴崎早智子

あかね書房

はじめに

みなさんは、学校《がっこう》で先生《せんせい》や友《とも》だちとすごしていて、あいさつをしたり、話《はな》し合《あ》ったりすることがありますね。そのとき、みなさんはことばをつかっています。ことばをじょうずにつかうことで、友《とも》だちともっとなかよくなったり、自分《じぶん》が思《おも》っていることをうまくつたえたりすることができるようになります。

では、ことばをもっとうまくつかうためにはどうしたらいいでしょうか。この本《ほん》には、そのためのいろいろなアイディアがたくさんつまっています。自分《じぶん》の言《い》いたいことをきちんと説明《せつめい》したいとき、友《とも》だちと話《はな》し合《あ》って何《なに》かを決《き》めたいときなどに、この本《ほん》を読《よ》んでみましょう。そして自分《じぶん》の思《おも》いや考《かんが》えをことばにしてみましょう。みなさんがことばの力《ちから》をいっそうみにつけていくことをねがっています。

平成《へいせい》二十九年《ねん》三月《がつ》

文部科学省《もんぶかがくしょう》　教科調査官《きょうかちょうさかん》　水戸部修治《みとべしゅうじ》

もくじ

「自分《じぶん》のことば」って、なんだろう？……4

じこしょうかい　「はじめまして、こんにちは」……6

かんさつカード　「かんさつしたことをきろくしよう」……10

作文《さくぶん》のはっぴょう　「遠足《えんそく》の思《おも》い出《で》をつたえよう」……14

話《はな》し合《あ》ってまとめる　「お楽《たの》しみ会《かい》の出《だ》しものをきめよう」……20

テーマのスピーチ　「わたしが大人《おとな》になったら……」……28

さくいん……32

この本《ほん》の見《み》方《かた》

この本《ほん》では、国語《こくご》、生《せい》活科《かつか》、特別活動《とくべつかつどう》の3科《か》目《もく》が出《で》てくるよ。かんけいのある科目《かもく》には、色《いろ》がついているよ。

ひとつのお話《はなし》のなかで、かんがえかたのじゅんばんが書《か》いてあるよ。さいごにやったことのまとめも見《み》てみよう！

じこしょうかい
「はじめまして、こんにちは」
特別活動
国語
生活科
あたらしいクラスになったとき、どんな人がいるかな？なかよくなるには、どうすればいいのかな？自分のことを知ってもらいたいな……。そうだ！まずはあいさつをして、じこしょうかいをしてみよう。
話しかけるときは、しっかりとあいての目を見ることがたいせつ。
おはよう
おはよう
つぎに自分の名前をはっきりとつたえよう。にこにこの顔は、「これからなかよくしようね」の合図。
わたしは田中あい
となりのせきだね。よろしくね
うん。よろしく！
きんちょうするね。いつもより大きな声で、ゆっくりと。教室のみんなを見わたして話してみよう。
話を聞くときにはあいての目を見よう。おどろいたり、おもしろかったら、そういう顔をして、「つたわっているよ」とあいずしよう。
すきなたべものはミートソーススパゲティ
なわとびがとくい
ミイというねこをかっている
じこしょうかいのながれ
1 つたえたいことをかんがえる
2 自ゆうちょうに書き出す
3 みんなの前でじこしょうかいする

こんなふうに思《おも》ったら、読《よ》んでみよう

みんなに自分《じぶん》のことを知《し》ってもらいたい！

友《とも》だちの話《はなし》を聞《き》くときって、どうしたらいい？

みんながどんなことをかんがえているか知《し》りたい！

話《はな》し合《あ》いのとき、意見《いけん》を言《い》い出《だ》せないなあ…

思《おも》ったことをうまく言《い》えるようになりたい！

「自分《じぶん》のことば」って、なんだろう？

だれかと話《はな》しているとき、
そのことばは、だれのもの？

自分《じぶん》が話《はな》しているから、ぜんぶ自分《じぶん》のもの？
ほんとうにそうかな？
思《おも》っていることと、話《はな》しことば、
いつでも、まったくおなじかな？
どんなふうに話《はな》したら、
人《ひと》にわかってもらえるだろう？
ことばに色《いろ》をつけるように
自分《じぶん》の思《おも》いをのせて、
あいてにつたえよう！

じこしょうかい

「はじめまして、こんにちは」

あたらしいクラスになったとき、
どんな人がいるかな？
なかよくなるには、
どうすればいいのかな？
自分《じぶん》のことを
知《し》ってもらいたいな……。
そうだ！
まずはあいさつをして、
じこしょうかいをしてみよう。

特別活動

国語

生活科

話《はな》しかけるときは、
しっかりとあいての目《め》を
見《み》ることがたいせつ。

つぎに自分《じぶん》の名前《なまえ》を
はっきりとつたえよう。
にこにこの顔《かお》は、
「これからなかよく
しようね」の合図《あいず》。

クラスのみんなの前《まえ》で、
じこしょうかいをすることもあるね。
どんなことを話《はな》すか、かんがえてみよう。
思《おも》いついたことを、自《じ》ゆうちょうに
書《か》き出《だ》してみるのもいいね。

自分《じぶん》の番《ばん》がきた！
人《ひと》の前《まえ》で話《はな》すのは、
きんちょうするね。
いつもより大《おお》きな声《こえ》で、ゆっくりと。
教室《きょうしつ》のみんなを見《み》わたして
話《はな》してみよう。

話《はなし》を聞《き》くときには
あいての目《め》を見《み》よう。
おどろいたり、
おもしろかったら、
そういう顔《かお》をして、
「つたわっているよ」と
あいずしよう。

じこしょうかいのながれ

1. つたえたいことをかんがえる
↓
2. 自《じ》ゆうちょうに書《か》き出《だ》す
↓
3. みんなの前《まえ》でじこしょうかいする

かんさつカード

「かんさつしたことをきろくしよう」

特別活動

国語

生活科

生き《い》ものや、しょくぶつや、天《てん》気《き》。みのまわりには、たくさんのしぜんがあるね。おもしろいな、知《し》りたいな、と思《おも》ったものをえらんで、かんさつしてみよう。

そだてている
アサガオ

クラスで
かっている、
ザリガニ

どんな色《いろ》？ どんな形《かたち》？ どんなにおい？ どんな手《て》ざわり？ どんなうごき？ 「かんさつカード」にまとめるために、ようすをじっと見《み》て、きろくしよう。

空《そら》に
うかぶ
くも

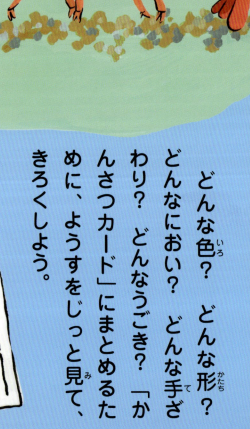

かんさつをするときは、目《め》、耳《みみ》、はな、手《て》をつかってかんじてみよう。色《いろ》や形《かたち》をたしかめたり、においや手《て》ざわりをたしかめる。ほかのものとくらべてみてもいいよ。

花《はな》の色《いろ》は？
においは？

はっぱの手《て》ざわりは？

じぶんの大きさとくらべてみると？

アサガオのかんさつ
8月《がつ》15日《にち》
●花《はな》
青《あお》っぽいむらさき色《いろ》
においはしない
●はっぱ
白《しろ》い毛《け》がはえている
ふわふわ
●はしらにまきついたつるは、
わたしのおなかの高《たか》さ

かんさつカードをいきなり書《か》く前《まえ》に、かんさつしたこと、見《み》ているうちに気《き》がついたことを、自《じ》ゆうちょうなどに書《か》き出《だ》してみよう。一日《いちにち》だけでなく、べつの日《ひ》やべつの時間《じかん》にもかんさつして、へんかをきろくしよう。

かんさつしたことを、みんなにつたえるために、かんさつカードにまとめるよ。自《じ》ゆうちょうに書《か》いてあるなかから、つたえたいことをえらんでみよう。書《か》けたら、まちがいがないか声《こえ》に出《だ》して読《よ》んでたしかめよう。

なにをかんさつしたのか、わかるようなタイトルにしよう

かんさつしたもののようすがわかるよう、くわしくイラストをかいてみよう

アサガオのかんさつ

8月《がつ》17日《にち》　田中《たなか》あい

5月《がつ》からそだてているアサガオのかんさつをした。

7月《がつ》28日《にち》にはひざぐらいまでだったつるが、8月《がつ》15日《にち》には、おなかぐらいまでのびて、青《あお》い花《はな》がたくさんさいた。においはしなかった。

はっぱには、細《こま》かくて白《しろ》い毛《け》がたくさんはえていて、さわるとふわふわした。

どうして毛《け》がはえているのか知《し》りたいと思《おも》った。

いつかんさつしたか、わかるように、日《ひ》にちを入《い》れてみよう。日《ひ》によって、どんなちがいがあったのかも、わかるね！

文《ぶん》のさいごには、もういちどつたえたいことや、自《じ》分《ぶん》のかんそうなどを入《い》れてみよう

カードができたら、友《とも》だちとこうかんして、読《よ》み合《あ》ってみよう。おもしろかったところ、わかりやすく書《か》けていたところ、かんそうを、おたがいにつたえ合《あ》おう。かんさつカードにきろくしておくと、あとで「こんなにかわったんだ」ってことがわかるね。

山《やま》田《だ》くんのカード

ザリガニのかんさつ

9月《がつ》6日《か》　山《やま》田《だ》こうき

クラスでかっているザリガニのかんさつをした。いつもは赤《あか》いのに、黒《くろ》っぽい色《いろ》になっていた。生《せい》活《かつ》科《か》の教《きょう》科《か》書《しょ》には、だっぴの前《まえ》は体《からだ》の色《いろ》がかわると書《か》いてあったので、もうすぐだっぴをするのかもしれないと思《おも》った。

水のいきもの
ありがとう！

ふしぎに思《おも》ったことを、教《きょう》科《か》書《しょ》でしらべて書《か》いていたので、わかりやすかったです
だっぴをするところを、見《み》てみたいと思《おも》いました

かんさつカードづくりのながれ

1. かんさつするものをきめる
↓
2. かんさつして、きろくする
↓
3. かんさつカードを書《か》く
↓
4. 友《とも》だちと読《よ》み合《あ》う

作文《さくぶん》のはっぴょう

「遠足《えんそく》の思《おも》い出《で》をつたえよう」

楽《たの》しかった遠足《えんそく》。どんなことが心《こころ》にのこったかな？ 一人《ひとり》ひとりはっぴょうをして、みんなにつたえることになったよ。

特別活動

国語

生活科

まずは、どんなことがあったか、思《おも》い出《だ》そう。みんなにつたえたいなと思《おも》ったことを、なんでも自《じ》ゆうちょうに書《か》き出《だ》してみよう。

やったこと、思《おも》ったこと、言《い》ったこと。そのときの自分《じぶん》の気《き》もちやかんそうも書《か》いてみよう。

みんなにつたえたいこと

- あかね山《やま》にのぼったのが楽《たの》しかった。
- ちょうじょうで食《た》べたおにぎりがおいしかった。
- ちょうじょうでみんなでヤッホーとさけんだ。
- さかをのぼるのがつかれた。
- はんのリーダーのゆみちゃんが「がんばろう」と言《い》ってくれてうれしかった。

はっぴょうするときに、頭《あたま》にうかんだことをそのまま話《はな》したら、きっとわかりにくいね。つたえたいことを、「はじめ・中《なか》・おわり」のじゅんばんにならべかえてみよう。

はじめ
出《で》だし。なにについて、話《はな》すかなど。
中《なか》
どんなことがあったか、どんな気《き》もちだったか、など。おきたじゅんに話《はな》そう。
おわり
まとめ。たいせつなことや、かんそうなど。

はじめ	中《なか》	おわり
●あかね山《やま》にのぼったのが楽《たの》しかった。	●さかをのぼるのがつらかった。 ●ゆみちゃんがはげましてくれた。 ●ちょうじょうで、みんなで「ヤッホー」とさけんだら、気《き》持《も》ちよかった。 ●ちょうじょうで食《た》べたおにぎりが、おいしかった。	●また山《やま》にのぼって、「ヤッホー」とさけびたい。

「はじめ・中《なか》・おわり」を表《ひょう》にまとめておくと、はっぴょうするときにたしかめられるメモにもなる。どんなことばで話《はな》すか、きめておきたいときには、原《げん》こうをつくっておこう。

声《こえ》に出《だ》して読《よ》みながら、原《げん》こうを書《か》いてみよう。ひといきで話《はな》せるように、ひとつの文《ぶん》はみじかくしよう。

はじめ　中《なか》　おわり

遠足《えんそく》で楽《たの》しかったこと

田中《たなか》　あい

わたしが遠足《えんそく》で一番《いちばん》楽《たの》しかったのは、はんのみんなといっしょに、あかね山《やま》にのぼったことです。

　さか道《みち》をのぼっているあいだは、とてもたいへんでした。はんのリーダーのゆみさんが「あいちゃん、もうすこしだよ。がんばれ！」とはげましてくれて、さいごまでのぼることができました。

　ちょうじょうについてから、みんなといっしょに「ヤッホー」と、思《おも》いっきりさけびました。大《おお》きな声《こえ》が出《だ》せたので、とても気もちよかったです。

　そのあと、みんなでおしゃべりをしながらおべんとうを食《た》べました。おかあさんのおにぎりが、いつもよりもっとおいしくかんじました。

　また山《やま》にのぼって、「ヤッホー」とさけんでみたいです。

みんなと……（もっと大《おお》きな声《こえ》がいいな）

「ヤッホー」と、思《おも》いっきりさけびました……

原《げん》こうができたら、れんしゅうしよう。声《こえ》の大《おお》きさ、話《はな》すはやさはどれくらい？　手《て》や体《からだ》をうごかすと、そのときのようすがわかるスピーチになるから、うごきをかんがえてみてもいい。れんしゅうをしておけば、本番《ほんばん》できんちょうもしにくいよ。

さあ、ついにはっぴょう本番《ほんばん》。話《はな》すときは、聞《き》いている人《ひと》を見《み》わたそう。きんちょうすると早《はや》口《くち》になりやすいから、できるだけゆっくりと話《はな》してみる。手《て》や体《からだ》もつかってみてね。さいごに、しつもんがないか聞《き》こう。

また山《やま》にのぼって、「ヤッホー」とさけんでみたいです。……なにかしつもんはありますか？
川《かわ》口《ぐち》さんどうぞ

しつもんがあるときは、手《て》をあげて名前《なまえ》をよばれてから言ってみよう。

ほかに遠足《えんそく》で楽《たの》しかったことはありますか？
「ヤッホー」というときに、口《くち》に手《て》をあてるくふうがおもしろかったなあ

人《ひと》のはっぴょうを聞《き》くときは、話《はな》している人《ひと》の目《め》をしっかりと見《み》よう。どんなところがおもしろかったかな。かんそうをつたえてもいいね。

作文《さくぶん》のはっぴょうのながれ

1. つたえたいことを書《か》き出《だ》す
↓
2. 「はじめ・中《なか》・おわり」にまとめる
↓
3. 原《げん》こうを書《か》く
↓
4. れんしゅうをする
↓
5. はっぴょうをする

話《はな》し合《あ》ってまとめる

「お楽《たの》しみ会《かい》の出《だ》しものをきめよう」

特別活動

国語

生活科

みんなで話《はな》し合《あ》って、なにかをきめるとき。自分《じぶん》のことばがつたわるか、すこしふあんだね。どのように話《はな》したらいいかな？

話《はな》し合《あ》いにはいつも、テーマがある。まずはどんなテーマなのか、しっかりとたしかめておこう。

話《はな》し合《あ》いをはじめる前《まえ》。テーマについてまずは自分《じぶん》でかんがえてみよう。

どんな出《だ》しものが、いいかなあ……
はんのみんなでできるかな
てじな
みんながやりたいやくになれるかな
げき
みんなでできそう！
がっしょう
みんなでやってみたい！
れんしゅうがたいへんかな？
ダンス

やってみたいこと、はんのみんなでできること、むずかしいけれど、ぜひチャレンジしてみたいこと……。思《おも》いついたことは、自《じ》ゆうちょうに書《か》き出《だ》すといいね。

話《はな》し合《あ》いをするときには、つくえをよせて、メンバーの顔《かお》が見《み》えるようにしよう。

話《はな》し合《あ》いをすすめる人《ひと》をきめたり、メモがとれるように自《じ》ゆうちょうをよういしておいたりするといいね。

話《はな》し合《あ》いのはじめには、まず、なにについて話《はな》し合《あ》うのか、もういちどテーマをみんなでたしかめよう。

今《いま》からわたしたちのはんが、お楽《たの》しみ会《かい》でやる出《だ》しものをきめます。みんなが楽《たの》しくなる出《だ》しものをえらびましょう

つぎに、一人《ひとり》ひとりがかんがえた「いけん」を言《い》っていこう。「だめかな？」「へんかな？」と思《おも》わず、いろいろないけんが出《だ》し合《あ》えたらおもしろいね。

いけんを言《い》うときは、メンバーの顔《かお》を見《み》よう
ぼくは、クイズがすきだから、クラスのみんなにクイズを出《だ》したい
クイズ？
…ぼくは、みんなでがっしょうをするのがいいと思《おも》う
ほかの人《ひと》のいけんをさえぎらないで、さいごまで聞《き》いてからいけんを言《い》おう

どうして
がっしょうが
いいと思《おも》ったのか、
教《おし》えて
聞《き》くときは、いけんを言《い》っている人《ひと》のほうをむこう。「もっと知《し》りたいな」「どうしてだろう」と思《おも》ったことは、しつもんをしてみよう
クイズやがっしょうもおもしろそう。わたしは、みんなでダンスをしたら、楽《たの》しいと思《おも》ったよ
音楽《おんがく》のじゅぎょうでならったきょくを歌《うた》ったら、もりあがると思《おも》ったんだ

一人《ひとり》ひとり、みんなちがういけんをもっているね。「なるほど」と思《おも》ったり、「そうかなあ？」と思《おも》ったり。かんそうも、それぞれでいいんだよ。

では、ちがういけんのメンバーとは、どんな風《ふう》に話《はな》し合《あ》いをすすめたらいいのかな？　どんなことばで、自分《じぶん》のいけんが、あいてとはちがうってことをつたえたらいいのかな？

クイズは つまらないから イヤ
なんで そんな 言《い》いかたを するの？

クイズもいいけど、みんなでれんしゅうしてじゅんびができるものをやってみたいな
そっか。そういうかんがえもあるんだなぁ

あいてのいけんを「そうだね」とうけいれることもたいせつ。自分《じぶん》が言《い》われたら、いやだなあと思《おも》うことばはつかわないようにしよう。いやな気《き》もちでは、いい話《はな》し合《あ》いができないんだ。

さいごに話《はな》し合《あ》いをまとめるよ。自分《じぶん》の思《おも》ったとおりにはならないかもしれない。でも、なっとくして一《ひと》つのことがきめられることがたいせつだね。

みんなでじゅんびができて、クラスの見《み》る人《ひと》も楽《たの》しめそう、ということで、出《だ》しものはダンスでいいかな？
いいと思《おも》う！ほかのはんをおどろかせたいね！
れんしゅうがたいへんそうだけど……がんばってみよう！

話《はな》し合《あ》ってまとめるながれ

1. テーマについてかんがえる

↓

2. つくえをうごかしたり、自《じ》ゆうちょうをよういしたりして、じゅんびをする

↓

3. テーマをたしかめて、話《はな》し合《あ》いをはじめる

↓

4. いけんをまとめる

テーマのスピーチ

「わたしが大人《おとな》になったら……」

特別活動

国語

生活科

大人《おとな》になったら、なにになりたい？ どんなことがしてみたい？ かんがえるだけで、楽《たの》しい気《き》もちになるね。

「わたしが大人《おとな》になったら……」というテーマで、スピーチをすることになったよ。

なりたいと思《おも》ったりゆう、こんなところがかっこいい、本《ほん》を見《み》て知《し》ったこと……。みんなにつたえたいことを「はじめ・中《なか》・おわり」に書《か》き出《だ》して、まとめていこう。

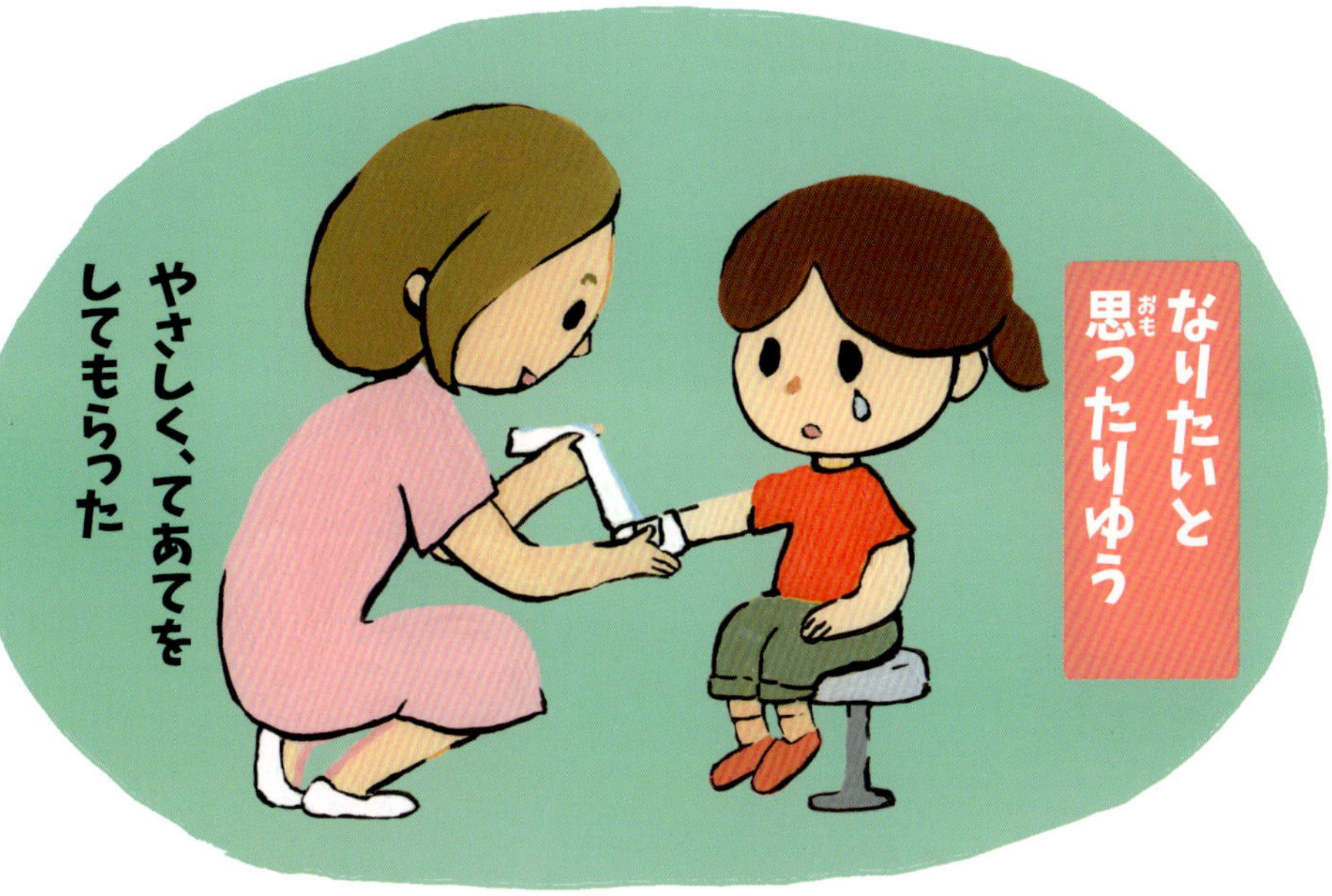
なりたいと思《おも》ったりゆう
やさしく、てあてをしてもらった

はじめ	中《なか》	おわり
●しょうらいなりたいものについて ●たくさんあるけれど、一番《いちばん》なりたいのはかんごしさん。	●けがをしたときに、やさしくてあてをしてもらって、なりたいとおもった。 ●かんじゃさんに、たよりにされていて、かっこいい。 ●しらべたら、まよなかにはたらくこともある、たいへんなしごとだとわかった。	●たくさんべんきょうして、かんごしさんをめざしたい。

こんなところがかっこいい
たよりにされている
かんごしさん!
かんごしさん!

本《ほん》を見《み》て知《し》ったこと
夜《よる》もはたらく

この本《ほん》の17ページのように、原《げん》こうを書《か》いてもいいね!

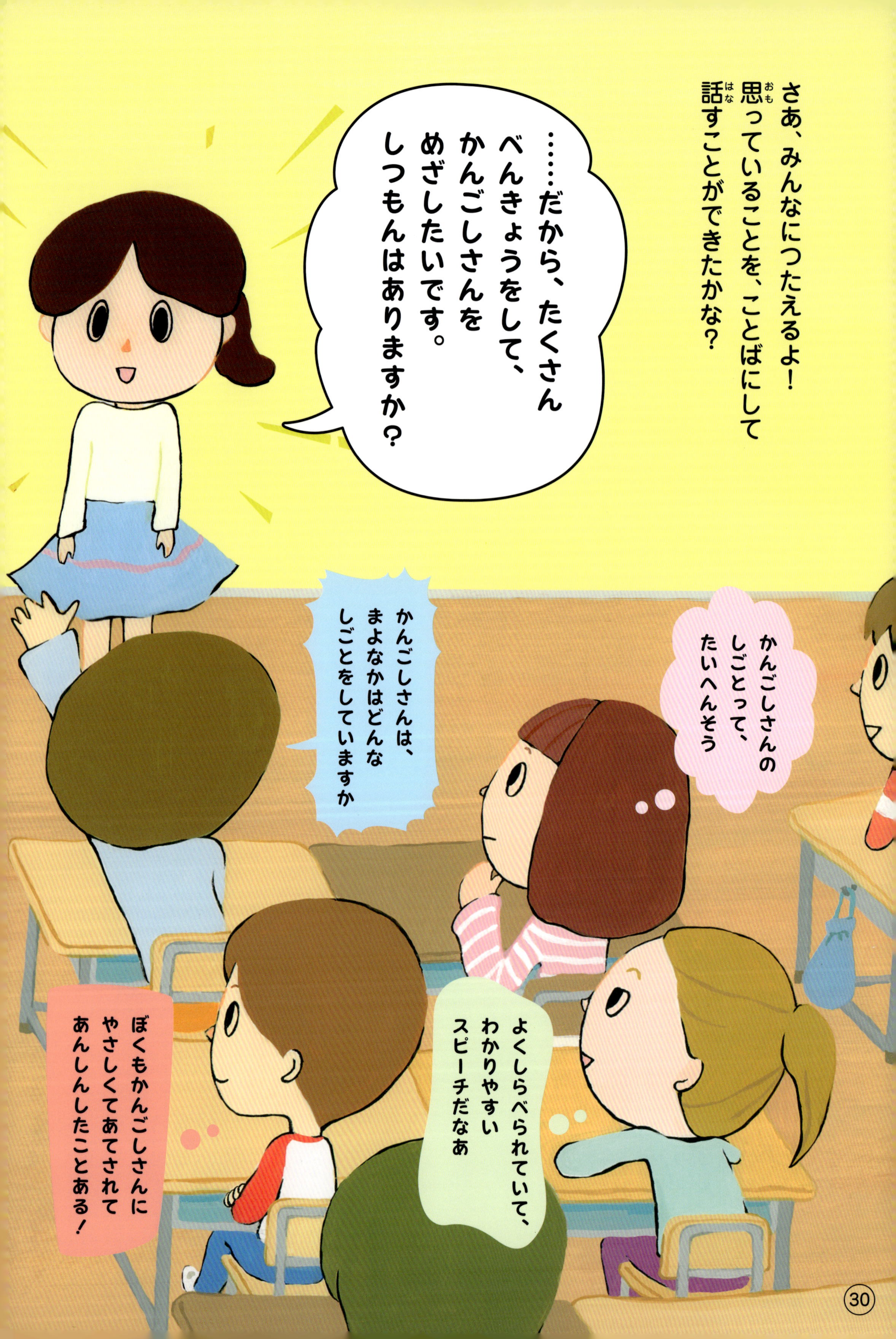
さあ、みんなにつたえるよ！
思《おも》っていることを、ことばにして
話《はな》すことができたかな？
……だから、たくさん
べんきょうをして、
かんごしさんを
めざしたいです。
しつもんはありますか？
かんごしさんの
しごとって、
たいへんそう
かんごしさんは、
まよなかはどんな
しごとをしていますか
よくしらべられていて、
わかりやすい
スピーチだなあ
ぼくもかんごしさんに
やさしくてあてされて
あんしんしたことある！

友《とも》だちがなりたいもののよさは見《み》つかったかな？

自分《じぶん》のなりたいもの、うまくわかってもらえたかな？

それぞれの「じぶんのことば」、見《み》つけられたかな？

ことばをつたえ合《あ》って、聞《き》き合《あ》って、みんなのことを、もっと知《し》ることができたらうれしいね！

かんじゃさんをおこさないように、気《き》をつけて見《み》まわりをします
かんごしさんになるには、どんなべんきょうをするか聞《き》きたい！
夜《よる》のびょういん、こわそう…
あ、わたしもそれ聞《き》きたかった！
かんそうをつたえたいな

※見開《みひら》きの左右両方《さゆうりょうほう》のページに同《おな》じことばが出《で》てくる場合《ばあい》は、右《みぎ》のページ数《すう》を記載《きさい》しています。

「話《はな》す・聞《き》く・書《か》く」でアクティブラーニング！ 全巻《ぜんかん》さくいん

あ
アンケート……3巻 24
インターネット……2巻 40
3巻 29、50
インタビュアー……2巻 18
3巻 52
インタビュー……2巻 16、18、20、22
3巻 6、35、50、52、54、57
インタビューシート……2巻 17、18、20
3巻 52
ウェブページ……2巻 40、42
演説《えんぜつ》……3巻 32、36、45
演説《えんぜつ》スピーチ……3巻 32、34
応《おう》えん演説《えんぜつ》……3巻 35
か
仮説《かせつ》……3巻 15、16
カメラ係《がかり》……2巻 18
3巻 52
かんさつ……1巻 10、12
かんさつカード……1巻 10、12
かんそう・感想《かんそう》……1巻 13、15、16、19、25、31
2巻 8、12、44
3巻 9、19、25
聞《き》き手《て》……2巻 6、9、23、30、33、36
3巻 6、8、32、42、56
議題《ぎだい》……2巻 10、12、14、24、29
議題《ぎだい》ポスト……2巻 10
記録係《きろくがかり》……2巻 11、18、29
3巻 11、43、52
グループディスカッション……3巻 49
結論《けつろん》……2巻 11、28
3巻 11、13、54
原《げん》こう・原稿《げんこう》……1巻 16、19、29
2巻 8、17、21、22、31、32、35
3巻 8、16、23、34、45、54、56、60
原《げん》こう用紙《ようし》・原稿用紙《げんこうようし》……2巻 33
3巻 8
さ
作文《さくぶん》……1巻 14、19
サンドイッチ方式《ほうしき》……3巻 29
司会《しかい》……2巻 11、13、15、29
3巻 11、12、27、28、30、39、43、44、46
時間管理係《じかんかんりがかり》……2巻 11
3巻 43
じこしょうかい・自己紹介《じこしょうかい》……1巻 6、8
2巻 6、8、34
3巻 6、9、53
自己《じこ》PR《ピーアール》……3巻 9
しつもん・質問《しつもん》……1巻 18、25、30
2巻 9、18、23、25、28、34、36
3巻 6、9、19、25、27、29、30、45、47、48、52、56、61
出典《しゅってん》……2巻 42
書記《しょき》……2巻 11
3巻 11
資料《しりょう》……2巻 16、22、37、42
3巻 20、24
審判係《しんぱんがかり》……3巻 42、44、46、48
進路《しんろ》……3巻 57
スピーチ……1巻 28、30
2巻 8、15、30、32、34、36
3巻 6、8、30、36、45、58、60
選挙《せんきょ》……3巻 37
た
他己紹介《たこしょうかい》……3巻 6
多数決《たすうけつ》……2巻 15、29
3巻 13
ディスカッション……2巻 8、10、12、14、24、26、28、38、44
3巻 10、12、26、29、30、38、51
ディスカッションシート……2巻 14、46
3巻 12、40
ディベーター……3巻 42、44、46、49
ディベート……3巻 42、44、46、49
ディベートシート……3巻 46
投票《とうひょう》……3巻 36
な
ナンバリング……3巻 34、49、61
は
「はじめ・中《なか》・おわり」・「初《はじ》め・中《なか》・終《お》わり」……1巻 16、19、29
2巻 17、21、31、32、39、41、42
3巻 7、8、18、22、29、33、34、45、54、60
話《はな》し手《て》……3巻 42
はっぴょう・発表《はっぴょう》……1巻 14、16、18
2巻 16、18、20、22
3巻 16、20、24
発表《はっぴょう》スピーチ……2巻 16、20、22
話《はな》し合《あ》い……1巻 20、22、26
2巻 10、12、24、28、38
3巻 10、13、21、22、26、38、40、45、49、54、62
パネリスト……3巻 26、28、30
パネルディスカッション……3巻 26、28、30
ふせん……3巻 13
ふり返《かえ》り……2巻 35
3巻 9、31
ブレインストーミング……3巻 49
フロア……3巻 27、30
弁論《べんろん》……3巻 48
方眼紙《ほうがんし》……3巻 41
報告《ほうこく》……3巻 20、22、54、58
報告《ほうこく》スピーチ……3巻 50、55、56
本《ほん》……2巻 37、40、42
3巻 29、50
ま
間《ま》……3巻 35
マップ……2巻 30、32
3巻 11
や
役所《やくしょ》……2巻 45
読《よ》み手《て》……2巻 42
ら
ラベリング……3巻 34、49
リスト……2巻 6、8、20、31
3巻 11、33
立論《りつろん》……3巻 42、45、46、48
レポート……2巻 38、40、42、44
3巻 14、18

監修
水戸部修治（みとべ　しゅうじ）
文部科学省初等中等教育局教育課程課教科調査官、国立教育政策研究所教育課程研究センター総括研究官・教育課程調査官・学力調査官。小学校教諭、県教育庁指導主事、山形大学地域教育文化学部准教授等を経て、現職。『小学校国語科 言語活動パーフェクトガイド 1・2年』などの著書がある。

絵	柴崎早智子
装丁・本文デザイン	黒羽拓明、坂本 彩（参画社）
編集	株式会社 童夢

「話す・聞く・書く」でアクティブラーニング！
1・2年生 自分のことばで、じこしょうかい

発行　2017年　4月　1日　初版

監修	水戸部修治
発行者	岡本光晴
発行所	株式会社あかね書房 〒101-0065 東京都千代田区西神田3-2-1 電話　03-3263-0641（営業） 03-3263-0644（編集） http://www.akaneshobo.co.jp
印刷所	吉原印刷株式会社
製本所	株式会社難波製本

ISBN 978-4-251-08243-5

NDC809
監修　水戸部修治（みとべしゅうじ）
「話す・聞く・書く」でアクティブラーニング！
1・2年生　自分のことばで、じこしょうかい
あかね書房　2017　32P　31cm×22cm

「話す・聞く・書く」でアクティブラーニング！

水戸部修治 監修

1・2年生

「自分のことばで、じこしょうかい」

「自分のことばはどんな色？」人に気持ちを伝えるときのまとめ方、書きだし方、注意点などを絵本のように見やすくまとめた1冊。

3・4年生

「書き出してまとめる、スピーチ」

「すぐにいい意見が思いつかない…」そんなときもだいじょうぶ。スピーチの準備やディスカッションの例をわかりやすく示す1冊。

5・6年生

「もっと深めよう、ディスカッション」

「演説や投票って本当の選挙みたい」話し合いの基礎から深め方、いま受ける授業の学びが将来どう役立つかのコラムも付いた1冊。